JOEL PETER WITKIN

Joel-Peter Witkin

Introduction par
Eugenia Parry Janis

Cet ouvrage est publié par
le Centre National de la Photographie avec
le concours du ministère de la Culture
et de la Communication.

Légende de la couverture :
Melvin Burkart : le phénomène humain, Floride

ISBN : 2-86754-071-2

Imprimé en Italie/Printed in Italy

CONVALESCENT... INCORRUPTIBLE.
JOEL-PETER WITKIN, PHOTOGRAPHE.

« Et le ciel regardait la carcasse superbe
Comme une fleur s'épanouir. »

CHARLES BAUDELAIRE, « Une Charogne », « Les Fleurs du Mal ».

« Il plonge les doigts dans la blessure... Il rentre les deux mains dans la viande... il s'enfonce dans tous les trous... Il arrache les bords !... les mous ! Il trifouille il s'empêtre !... Il a le poignet pris dans les os ! Ça craque... Il secoue... Il se débat comme dans un piège... Y a une espèce de poche qui crève !... Le jus fuse ! gicle partout ! Plein de la cervelle et du sang !... Ça rejaillit autour !... »

LOUIS-FERDINAND CÉLINE, « Mort à crédit ».

« L'abject et l'abjection sont là mes garde-fous. Amorces de ma culture ».

JULIA KRISTEVA, « Pouvoirs de l'horreur ».

L'école des cadavres.

Dans les sous-sols d'une école de médecine de Mexico, il s'habille de la tête aux pieds de sacs poubelle. Après d'innombrables coups de fil et supplications, on va enfin lui laisser faire sa « Vanité », comme l'appelle le médecin de la Croix Verte qui n'est pas si loin de la vérité. Cependant, il ne soupçonne pas vraiment quelle sorte d'union entre l'art et la science est sur le point d'être célébrée avec sa permission car en fait, il s'aventure rarement là où le photographe demande à aller.

Les assistants de laboratoire ouvrent des tiroirs pleins de victimes tabassées à mort par la police ou mortes dans un accident de voiture, de chair puante, pourrissante, que les bureaucrates ne peuvent enlever faute d'en avoir reçu l'ordre. Malgré l'air conditionné, la puanteur est insupportable. Le photographe se met à pleurer. Il a trouvé un nouveau-né dans un tiroir et le transporte sur un chariot d'hôpital pour en faire l'élément de base de sa composition. Il choisit quinze autres morceaux parmi les mains et les pieds qui lui glissent des mains en une masse gélatineuse quand il les saisit et les empile sur une table.

La nuit précédente, il a peu dormi, à cause de l'excitation, de l'appréhension. Il avait finalement ce qu'il cherchait, mais qu'allait-il faire de ce matériel hideux ? Il a apporté au laboratoire du raisin, des grenades, une écrevisse et une petite pieuvre pour composer un « festin des fous ». Des curieux s'étant rassemblés autour de lui, il demande bientôt à tout ce monde de sortir ; un jeune photographe mexicain mitraille tout avec un appareil photo équipé d'un moteur.

Seul avec la masse luisante des débris humains, le photographe marche au radar. Il ne pense à rien, ne ressent rien. « Je ne peux pas définir ce que je fais ; je ne *sais* pas ce que je fais », dit-il (1). Il reste enfermé avec sa pile suppurante pendant deux heures environ. L'odeur le submerge. Il pleure encore pour le nouveau-né. « Ils viennent d'un monde meilleur », se dit-il. Il lutte pour construire la nature morte : le bébe aura les yeux bandés, la jambe en putréfaction, dégorgeante de pus sera orientée vers l'intérieur pour renforcer la forme pyramidale de « l'architecture » ; une main de cadavre semblera saisir les tentacules de la pieuvre, l'autre couronnera la pyramide d'un geste de bénédiction.

L'image exprime la torture et la souffrance, mais là ne se limite pas l'intention du photographe. Son projet est d'envergure ; il veut le tirage le plus grand possible parce qu'après plus de trente ans de photographie, il est conscient d'être parvenu à son plus haut niveau d'intelligence et de lucidité. Avec sa « Vanité », il crée un territoire érotique majestueux de sacrifice et de sacrement, dont le sens, pour lui, se situe quelque part entre la souffrance indicible du Christ crucifié et celle des juifs sous Hitler.

La plupart des écrivains qui analysent la photographie de Witkin et recherchent la source de cette « désagréable beauté » (2) voient l'origine de la mise en scène de ses cauchemars dans les œuvres de Hieronymus Bosch qui fustige les dérèglements érotiques du monde gothique en plein boule-

1. Toutes les citations de l'artiste qui figurent dans ce texte proviennent de discussions avec l'auteur, à Albuquerque (Nouveau-Mexique), en avril 1991.

2. Max Kozloff, "Contention between two critics about a disagreable beauty", *Artforum* février 1984, pp. 45-53.

3. Mirelle Thijsen, *Grotesque*, Natural History and formaldehyde Photography, Fragment Uitgeverij, Amsterdam 1989, p. 14 ; Mirelle Thijsen, "Interview, Joel-Peter Witkin", *Camera International*, édition américaine, n° 2, Eté 1990, p. 16.

4. Julia Kristeva, *Pouvoirs de l'horreur*, Essai sur l'abjection, Editions du Seuil, Paris 1980, pp. 11, 246 et 247.

versement (3). Il existe effectivement une riche tradition à laquelle rattacher cet art sacrificiel. Le sang figé et la graisse du *Bœuf écorché* de Rembrandt (1655, Musée du Louvre) nous force à considérer un animal abattu pour la boucherie comme un acte de consécration, d'autant plus qu'il est représenté comme une apparition dans la resserre sombre de la ferme ; c'est un secret, révélé par le regard complice de la paysanne. *Etal de Boucher* de Goya (1808-12, Musée du Louvre), avec sa tête de mouton écorchée et luisante, sa graisse, ses entrailles, est proche des représentations d'atrocités humaines de ses *Désastres de la guerre*. Dans ces études de tendons et boyaux, les deux humanistes donnent à leur représentation de la boucherie une dimension sacrificielle.

Cet intérêt voluptueux pour les viscères et les débris humains n'est pas récent dans la photographie de Witkin. Des œuvres comme *Poet : From a Collection of Relics and Ornaments* (Poète : Collection de reliques et d'ornements), (Berlin, 1986), qui met en scène une jambe et un bras coupés, avec un crâne - réminiscence des études de morgue de Géricault - ou encore l'œuvre majeure *Le Baiser* (Albuquerque, 1982), qui transforme une tête fendue en deux pour un cours d'anatomie en scène narcissique, sont exemplaires du penchant fondamental de Witkin pour la nature morte allégorique. L'œuvre réalisée à Mexico en 1990, est donc l'aboutissement d'une longue carrière où des restes animaux et humains sont utilisés comme point de départ d'une réflexion philosophique.

Se focaliser sur la forme humaine comme dépositaire de l'abjection, c'est toucher aux profondeurs les plus noires de l'imagination contemporaine. L'essai de Julia Kristeva sur le langage et les significations de l'abjection, analyse cette fixation. Ce qui est vil et méprisable, abject ou rejeté, a le pouvoir de faire reculer les frontières du corps. En tant que témoin de l'horreur, l'abject nous montre la limite de notre condition d'être vivant, et en provoquant la perte symbolique de notre moi, nous donne les moyens de nous recréer, de nous retrouver.

« ... Non, tel un théâtre vrai, sans fard et sans masque, le déchet comme le cadavre m'indiquent ce que j'écarte en permanence pour vivre... Car l'abjection est en somme l'autre côté des codes religieux, moraux, idéologiques, sur lesquels reposent le sommeil des individus et les accalmies des sociétés... Mais le retour de leur refoulé constitue notre « apocalypse,... » (4).

« Notre apocalypse » résume toute la démarche photographique de Witkin, car sa collection de « révélations prophétiques », qui, fait surprenant, ne comprend que cent-vingt œuvres environ, met en scène une humanité contemporaine moralement déséquilibrée. Le travail de Witkin est tout à la fois allégorique et collectif. Il invite les acteurs à jouer sous sa direction sur des scènes étroites, de toute évidence éphémères, qui évoquent des tréteaux de fête foraine ou des studios de photographie désuets situés dans des coins reculés. Dans ces petits théâtres de l'abjection, les « acteurs », parés et disposés comme des sculptures devant des décors de toile peinte, assument les rôles que le photographe leur a assignés dans des représentations classiques des excès érotiques.

« Le travail de l'artiste est de révéler les choses sous leur aspect le plus positif et le plus tendre », dit Witkin. Et cela a été son but dès sa première photographie à l'âge de seize ans, photographie pour laquelle, à partir d'un article de journal, il suivit les traces d'un rabbin qui proclamait avoir vu Dieu, et qu'il photographia de façon directe et banale. Depuis lors, il a cherché à établir un dialogue avec « l'Infini ». Il est devenu connaisseur en « personnalités » exceptionnelles, plus particulièrement celles qui, de par leur physique déformé ou extraordinaire, ont automatiquement une place à part, une place parmi les élus. Ce sont là ses acteurs.

Weegee (Arthur Fellig), pour Witkin, un des héros de la photographie, qui travailla avec la police de New York, découvrit quelques-uns de ces spécimens dans les années quarante et cinquante. Sur les traces de Weegee, Diane Arbus, fille privilégiée et séquestrée d'un homme d'affaires new yorkais, poursuivit dans les années soixante sa propre recherche de marginaux, avec une passion qui n'appartient qu'aux novices. Pour Weegee et Arbus, tous deux juifs, les déshérités représentent un monde, à l'abri du regard indiscret du public, avec lequel ils s'identifient et qu'ils mettent à nu. Witkin, dont le père était juif, reconnaît l'influence qu'eurent sur lui

5. Il cite également Brassaï parmi les photographes qui l'ont influencé.

6. Charles Baudelaire, *Le Peintre de la vie moderne.*

7. *Joel-Peter Witkin : Photographs,* Twelvetrees Press, Pasadena 1985 ; dans le post-scriptum de son dernier livre, *Joel-Peter Witkin, Gods of Earth and Heaven,* Twelvetrees Press, Pasadena 1989, Witkin conclut par : « Etres provenant d'autres planètes. Quiconque portant les stigmates du Christ. Quiconque proclamant qu'il est Dieu. Dieu ».

Weegee et Arbus (5). Pourtant, sa quête est plus proche de celle d'un enfant encore sous l'emprise voluptueuse de la conception catholique du péché que lui a transmise sa mère napolitaine.

Witkin fait pénétrer dans le monde hermétiquement clos du studio et de la chambre noire, les gens que Weegee et Arbus se contentaient de photographier dans leur environnement. Il prenait régulièrement le métro de New York pour essayer de repérer dans la foule des passants, les nains, les hermaphrodites, les victimes de la thalidomide et du SIDA, les paraplégiques, les femmes enceintes, obèses, anorexiques ou à barbe, les bossus, les monstres manchots ou avec des pénis énormes. Il a travaillé pendant des années comme maître d'hôtel dans un restaurant d'Albuquerque, se forçant à rester « au cœur de la multitude » (6), selon l'expression de Baudelaire, toujours à l'affût de quelqu'un qui pourrait accepter de collaborer.

Il écrivit des lettres, envoya des communiqués et assista à des rassemblements d'artistes tatoueurs. Dans une de ses monographies, un « post-scriptum » célèbre sollicite les modèles par une énumération de ce qui l'intéresse : débiles, transsexuels avant opération, phénomènes de foire en activité ou à la retraite, personnes vivant comme des héros de bandes dessinées... individus dotés de queues, cornes, ailes, nageoires, griffes, pieds ou mains inversés, de membres éléphantesques..., individus possédant une garde-robe complète en caoutchouc..., collections privées d'instruments de torture, d'histoires d'amour, d'organes animaux, humains ou provenant de créatures étranges... Tout mythe vivant. Quiconque porte les stigmates du Christ » (7).

Malgré la difficulté à trouver des modèles dont se plaint Witkin, « les mythes vivants » viennent à lui. Une jeune femme française lui a envoyé des fioles de son sang, espérant ainsi pouvoir devenir son modèle. Le « phénomène humain », Melvin Burkhart, artiste de cirque à la retraite, qui s'enfonce un clou de vingt centimètres de long dans le nez, s'arrêtant juste avant le cerveau accepte de recommencer devant l'appareil de Witkin. Un homme qui a appris au Vietnam un rite de purification consistant à retirer ses intestins, consent à le répéter pour la scène de violence entourée de draperies, intitulée « Photographie commerciale à Juarez ».Un nain adorable qui a joué E.T. dans le film de Spielberg, pose en loup de satin et camisole de dentelle, avec un regard perdu dans son autocontemplation. Une femme cul-de-jatte à la carnation somptueuse et à la magnifique chevelure blonde, pose nue sur un guéridon à trois pieds, dans un décor d'arbres peints, en se caressant l'épaule dans une attitude narcissique qui dépasse de loin les directives du photographe. Des sœurs siamoises réunies par la tête s'enlacent en formant une arche au-dessus de la colombe de la paix. Une victime de la thalidomide, usée par d'incessantes douleurs, accepte de jouer un «saint obscur» avec un couperet planté dans la tête, un col de cotte de mailles et une prothèse, à condition que le photographe le fasse ressembler à un être humain.

Rien dans les images de Witkin n'est destiné à être pris à la lettre, cela semble aller de soi. Pourtant, c'est ce qui posa problème au public qui considère la photographie comme une vérité documentaire sans faille. Witkin a essayé pendant un temps de faire de la photographie documentaire, mais «il n'avait pas la patience d'attendre que les choses arrivent d'elles-mêmes». Cependant, dans la lumière souterraine de ses tableaux vivants, le photographe «sculpte» les merveilleux corps de ses acteurs pour qu'ils deviennent avant tout ce qu'ils sont. La vérité de la condition de cul-de-jatte de «L'Infante» de «Las Menimas» (Albuquerque, 1987) est souveraine. Une crinoline à roulettes supporte la créature tronquée, fière, dont le torse minuscule retrouve la royauté et la dégénérescence physique des Habsbourg. Le photographe se représentant, dans le rôle de Vélasquez, intitule son esquisse du dessin préparatoire «Moi, infirme»: ce qui est une indication du désir de Witkin d'être lui-même le monstre principal, le «convalescent» principal de toute son œuvre, dont les acteurs ne seraient que les représentants.

La poésie noire par laquelle je vis.

Les représentations érotiques de l'abjection par Witkin, dans leur tentative pour traduire la dimension grotesque de l'effondrement des valeurs spirituelles du monde contemporain, sont aussi évidentes que l'étaient au moyen-âge les mises en scène de la passion pour les fidèles.

Le caractère didactique et révélateur de la représentation est aussi vieux que le rite lui-même. Mais il existe peu de précédents dans les cent-cinquante années d'histoire de la photographie (8). La représentation de l'abjection était déjà très présente dans l'art et la littérature moderne avant que Baudelaire ne l'exalte dans les *Fleurs du Mal,* avec des poèmes comme « Une Charogne ». Witkin puisa aussi son inspiration dans les fantasmes d'abjection qu'avaient les fils spirituels de Baudelaire, les cinéastes surréalistes, Cocteau, Dali et Buñuel.

Il ne connaissait peut-être pas Céline, grand chantre de la description du Mal, dont les fureurs sont pourtant celles d'un frère de sang. Mais l'accueil précoce et enthousiaste que les Français ont réservé à l'œuvre de Witkin peut s'expliquer par un goût pour les représentations de l'abjection acquis par la fréquentation de Baudelaire, des surréalistes et de Céline (9).

Les apocalypses de Céline, bien sûr, ne dépassent jamais la simple description de l'horreur ; elles évitent la dimension transcendantale qui préoccupe tant Witkin. Le photographe dépasse le point que Céline se refuse d'atteindre. Le lien que Witkin établit entre sexualité et transcendance évoque les essais de Bataille sur l'érotisme comme composante de la vie intérieure, un thème « proche de la théologie » dans la tradition du Marquis de Sade (10). Mais là aussi, Witkin va plus loin dans l'amour spirituel et poétique que le « divin marquis ».

Bien que sa sensibilité soit proche de celle de Céline et de Bataille, Witkin reconnaît se rattacher à une lignée d'écrivains américains dont les rêves mythiques sont inspirés par les animaux. Il aime citer « l'Ours », un poème de Galway Kinnell, pour expliquer sa croyance selon laquelle la quête spirituelle est nourrie par la chair fortifiante de l'animal.

8. L'exception est peut-être la photographie médicale du XIXe siècle, dont le but était de collectionner des spécimens. Le goût et l'intelligence avec lesquels Witkin aborde le pouvoir d'imagination de ces photos prises par les scientifiques pour garder des documents sur les cas rencontrés dans leur carrière, atteignent leur apogée dans *Masterpieces of Medical Photography, Selections from the Burns Archives,* Twelvetrees Press, Pasadena 1987, livre étonnant de beauté dont Witkin fut éditeur pour la photographie. A la lumière de cet intérêt, il n'est pas surprenant de découvrir un de ses dessins au crayon, daté de 1988, et représentant une tête de mort avec les lettres C Y D Q inscrites dessus, et intitulé « Moi comme spécimen ». Cf. *Gods of Earth and Heaven.*

9. En même temps, le « sens tragique de la vie » espagnol – que le poète Miguel de Unamuno exprime à la fin du XIXe siècle par des vers signifiant quelque chose comme :
« Quand j'embrasse des lèvres rubis, est-ce que je vois le crâne blanc au travers ? » – explique en partie le soutien et la compréhension que Witkin connut en Espagne dès le début de sa carrière.

10. Georges Bataille, *L'Erotisme,* Editions de Minuit, Paris 1957.

Kinnell découvre « l'odeur tenace de l'ours » par une vapeur « couleur de poumon » dans la neige, il suit les traces de l'ours, « taches de sang parsemant le monde ». Il mange « la merde de l'ours trempée dans le sang », se nourrit de « sang d'ours uniquement », et finalement, découvrant la carcasse de l'ours, creuse « un ravin dans sa cuisse », le déchire « sur toute sa longueur », l'ouvre et entre dedans, s'y protège du vent et s'endort en rêvant qu'il exécute une danse solitaire tout en pensant « Je dois me lever et danser ». Puis il passe le reste de ses jours à se demander « quelle pouvait bien être cette infusion poisseuse, ce goût fort de sang, cette poésie qui m'a fait vivre » (11). La question ultime de Kinnell constitue le point de départ de l'œuvre de Witkin qui se fraie un chemin vers le royaume de l'Infini. Dans « Le Sauveur des Primates » (Albuquerque, 1982), un singe crucifié figure le Rédempteur. « Les animaux ont aussi leur sauveur », dit-il.

Bien que l'art de Witkin émane du monde contemporain et lui soit destiné, sa vision est essentiellement historique. Chercher ses modèles dans les écoles de médecine et les morgues est une tentative pour retrouver cet âge d'or où artiste et anatomiste ne faisaient qu'un. De même, ses références constantes à Géricault, Delacroix, Courbet, Botticelli, Velasquez, Goya, Picasso, Miró, Rubens, Archimboldo, Grant Wood, à la sculpture de Canova et aux photographies de Sander, Marey, Nègre, Muybridge, Rejlander, von Gloeden ou Mayer et Pierson (12) ne sont pas seulement les références érudites d'un romantique post-moderne mais les appropriations d'un photographe qui prend conscience de sa solitude à travers celle des déshérités qu'il choisit comme modèles. Ayant besoin d'une famille artistique, il se la crée.

Que Witkin, visionnaire, peintre, sculpteur et dessinateur choisisse la photographie comme principal moyen d'expression, nous éclaire sur ce que mystérieusement il en attend (13). Comme si la lumière qui pénètre dans le boîtier de l'appareil était la grâce salvatrice du monde et pouvait arracher à leur prison de douleur ces acteurs d'une terrifiante beauté pour les entraîner vers le paradis. Que Witkin prête ce pouvoir à la photographie transparaît dans « Woman with a Severed Head » (Femme avec tête coupée) (Albuquerque, 1982), qui représente une femme au visage voilé de dentelle, évoquant Gloria Swanson telle que Steichen l'a photographiée pour *Vanity Fair* dans les années vingt. Le modèle tient une tête coupée, qui, pour Witkin, pourrait bien être un « appareil photographique » (14). À l'âge de six ans, tenant la main de sa mère, il assista à un terrible accident au cours duquel la tête d'une petite fille roula d'une voiture renversée, jusqu'à ses pieds. « Je me penchais pour toucher le visage, pour le questionner, mais avant que j'aie pu le faire, on m'emmena ». Dix ans plus tard, quand il commence à photographier, Witkin dit « Je ne tenais pas un appareil photo... Je tenais *son visage* » (15).

Si l'appareil photo est un réceptacle sacré traversé par des raies de lumière, révélateur des mystères de l'existence, la chambre noire ne l'est pas moins. Quand il développe les films de séances de prises de vues comme celle de l'école de médecine de Mexico, Witkin retravaille les négatifs manuellement pendant des heures, jusqu'à ce que les restes luisants de la nature morte semblent rejetés par la bouche infernale du « pays de l'oubli » (16). Il altère à peine la texture de la composition, de façon à ce qu'elle paraisse à la fois somptueuse et irrésistiblement tactile, en plaçant sur l'image dans l'agrandisseur, une plaque de verre qu'il peint avec tout ce qu'il peut utiliser : café, thé, œuf... L'effet qu'il recherche n'est pas sans rappeler celui des premiers daguerréotypes ou calotypes.

La manière de tirer de Witkin est aussi célèbre que la *terribilitá* de ses sujets. Cette étape est presque plus douloureuse que la recherche des modèles. Le tirage ne cherche plus seu-

11. Galway Kinnell, *Selected Poems,* Houghton Mifflin Company, Boston 1982, pp. 92-94.

12. Pour un essai sur cette relation, qui décrit aussi les conditions dans lesquelles furent réalisées beaucoup de photographies, voir Van Deren Coke, *Joel-Peter Witkin : Forty Photographs,* Museum of Modern Art, San Francisco 1985.

13. Il ne nous est pas possible d'aborder ici la sculpture de Witkin, ou les merveilleux dessins préparatoires qui accompagnent chaque scène photographique. Une monographie plus large, qui explorerait ses méthodes de travail, montrerait que pour ce photographe l'art photographique n'est pas pur, et comment tous les moyens d'expression – peinture, sculpture, dessin, décors et costumes de théâtre et mise en scène – contribuent à ses œuvres de façon essentielle.

14. Dans les mises en scène de Witkin, les femmes (et les hommes avec des organes sexuels féminins) dominent. Cf. *The Collector of Fluids* (La Collectrice de Fluides, 1982) ou *Journeys of the Mask: Helena Fourment* (Voyages du Masque : Hélène Fourment, 1984). Les passions et les vicissitudes des femmes réfléchissent avec vigueur celles du photographe, ce qui a souvent été mal interprété par les critiques qui ont taxé la photographie de Witkin de misogyne. L'artiste retrouve dans les seins de femmes une imagerie primitive – autre sujet épineux, en particulier pour les Américains. Voir *Mexican Pin-up* (Pin-up mexicaine, 1975) et, à l'opposé, *The Invention of Milk* (L'Invention du Lait, 1982) ; cette œuvre est inspirée des sculptures de fertilité de l'Italie du sud, et éclaire l'intérêt de Witkin pour les seins comme lieu principal du drame de l'enfant accepté ou rejeté – voir la scène de féroce désunion de *Mother and Child* (Mère et enfant, 1979). Nous ne pouvons ici que suggérer certains aspects de ce thème important, que l'auteur espère développer dans un prochain texte sur Witkin.

15. *Joel-Peter Witkin : Photographs,* 1985.

16. Kristeva, p. 8.

lement à respecter la fidélité originelle du négatif par rapport au sujet. Le travail dans la chambre noire est plus proche du dessin, du modelage grâce auquel le photographe prolonge son intervention en continuant à modifier, raffiner et redéfinir ce qu'il a vu à travers l'objectif. Lors du tirage, Witkin recrée l'image du négatif. Il gratte la face sensible comme un enlumineur, mais avec des gestes vifs « d'action painter », utilisant des lames de rasoir, des épingles, des aiguilles, de telle sorte que ce qui était photographiquement simple se mue en quelque chose de visuellement plus élaboré et riche de significations multiples. Witkin ressuscite les esprits endormis. Son attachement à de telles idées est fondamental pour comprendre l'extrême complexité de ses méthodes. A l'encontre de la plupart de ses contemporains qui considèrent la photographie comme l'expression de la technologie moderne, il est plus proche de l'esprit d'expérimentation dont étaient animés les pionniers de la photographie. En voulant que ses images soient sans âge, qu'elles paraissent plus fabriquées que prises, il se rattache à la tradition des recherches individuelles des tous premiers photographes. « Je vais mourir en faisant des tirages », murmure-t-il distraitement.

Les corps incorruptibles.

Quand dans son poème intitulé « Une Charogne », Baudelaire découvre un cadavre dévoré par les asticots, il fait rayonner le soleil « sur cette pourriture / Comme afin de la cuire à point / Et de rendre au centuple à la grande Nature / Tout ce qu'ensemble elle avait joint ». La lumière du soleil participe à la rédemption du corps. C'est ainsi que Witkin utilise la lumière en photographie. Baudelaire dit à sa maîtresse : « Vous crûtes vous évanouir » à la « puanteur » (17) que le cadavre exhale. Sans partager ce goût pour l'ironie macabre, Witkin s'intéresse pourtant à l'arôme des défunts.

Il me prête un de ses livres favoris, écrit par une femme de la Nouvelle-Orléans, sur le miracle des saints, dont les corps restent non seulement souples et beaux longtemps après leur mort, mais exhalent aussi de douces odeurs. Sainte Rita de Cascia (1381-1457) « embaumait toute l'église où elle reposait ». Saint Albert le Grand (1206-1280), dans un état de conservation parfaite, « exhalait une délicieuse fragrance » (18).

Les bras, les jambes et le cou de Sainte Catherine de Sienne «restèrent aussi flexibles que si elle était en vie». Les fidèles réclamant des reliques de son corps: un bras alla à Sienne; trois doigts allèrent à Venise; une main fut donnée aux sœurs dominicaines du couvent de San Domenico et Sisto à Rome; le pied gauche revint à l'église de Saint-Jean et Saint-Paul à Venise; une côte fut donnée au couvent de Saint-Marc à Florence; et une omoplate fut confiée aux sœurs dominicaines de Magnanapoli à Rome.

La tête sacrée de la sainte, conservée dans un reliquaire de cuivre doré, fut réservée à sa ville natale. Avant d'être installée dans la cathédrale, elle fut portée en procession triomphale, avec comme garde du corps, la très vieille mère de la sainte, vêtue de l'habit des sœurs de Penance (19). De tels récits merveilleux, que le photographe adore, ne font que magnifier le rôle qu'il considère être le sien. Façonneur de reliques des corps miraculés, il les distribue grâce à l'expression graphique la plus reproductible. Les photographies sont des reliquaires, préservant les têtes tranchées, les bras, les jambes et les corps merveilleux. Comme les fragments dispersés des saints incorruptibles, elles sont les talismans divins dont se sert cette «Âme curieuse qui souffre» (20) comme protection contre la «confusion de *maintenant*».

Eugenia Parry Janis

17. «Une Charogne», *Les Fleurs du Mal.*

18. Joan Carroll Cruz, *The Incorruptibles* (Une étude sur l'incorruptibilité des corps de divers saints et bienheureux catholiques), Tan Books and Publishers, Inc., Rockford, Illinois 1977, pp. 131, 91.

19. Ibid, p. 121.

20. Charles Baudelaire, «Epigraphe pour un livre condamné», *Les Fleurs du Mal,* p. 176.

1. Jésus et sa mère Marie : par un photographe galiléen, New York, 1974

2. Sans titre (Série des Toits), New York, 1972

3. Le rêve du diable, New York, 1974

SHOE SHINE
201

4. Créature (Série des Objets tenus et jetés), Los Angeles, 1976

5. Pin-up mexicaine, Nouveau-Mexique, 1975

6. La mort de Los Angeles (Série des Objets tenus et jetés)
Los Angeles, 1976

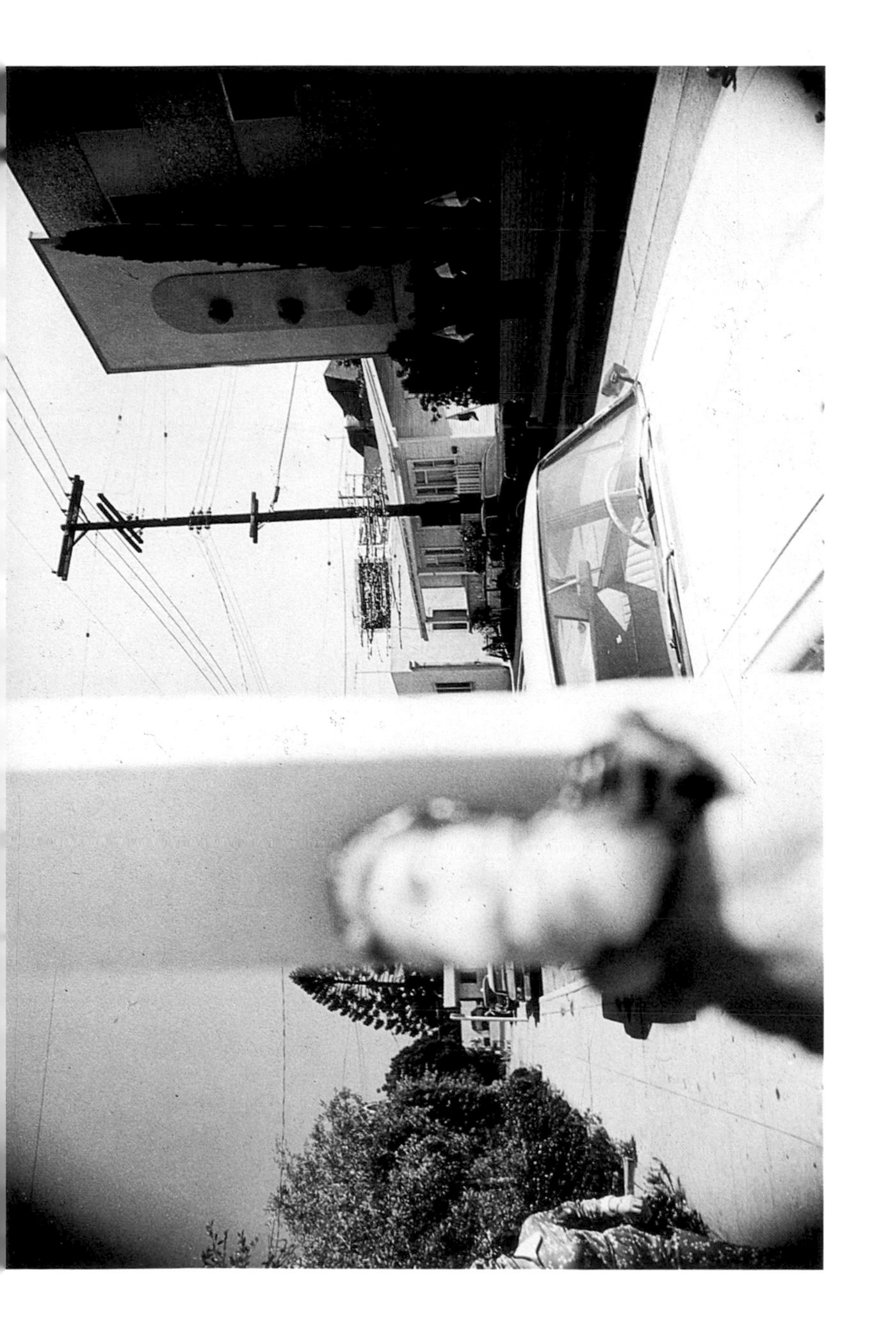

7. L’empereur du Japon, Nouveau-Mexique, 1978

8. Hôpital (Série des Indulgences), Nouveau-Mexique, 1976

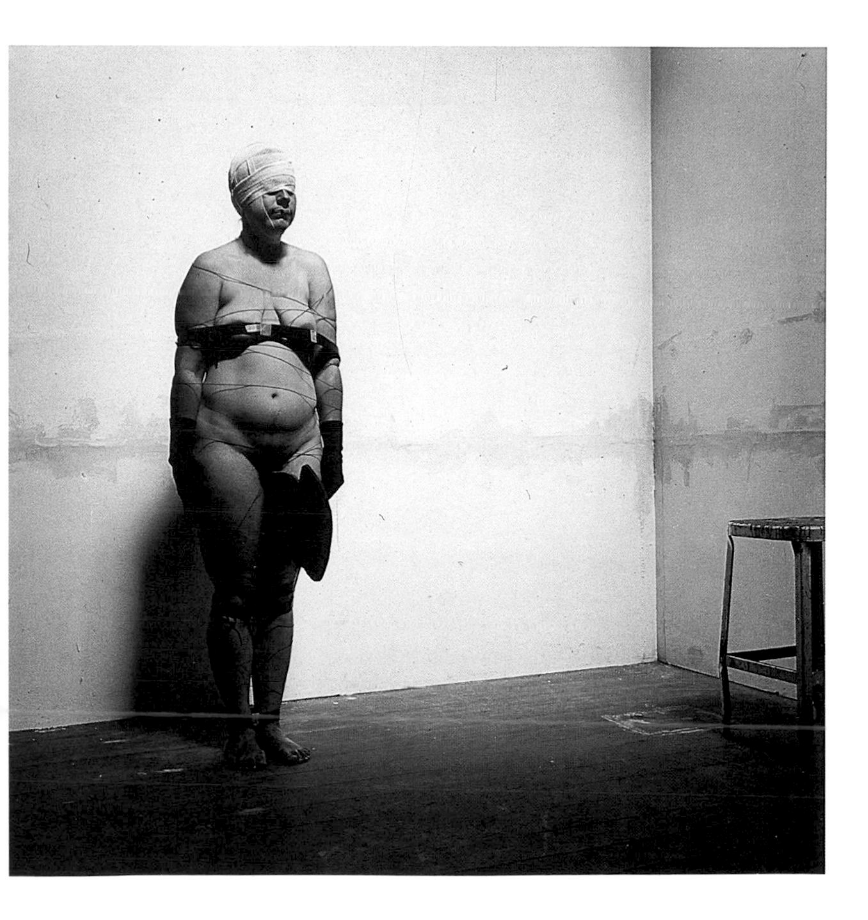

9. Eclair piégé dans le sable, Nouveau-Mexique, 1979

10. Mère et enfant, Nouveau-Mexique, 1979

11. L'enfant-abeille, Nouveau-Mexique, 1981

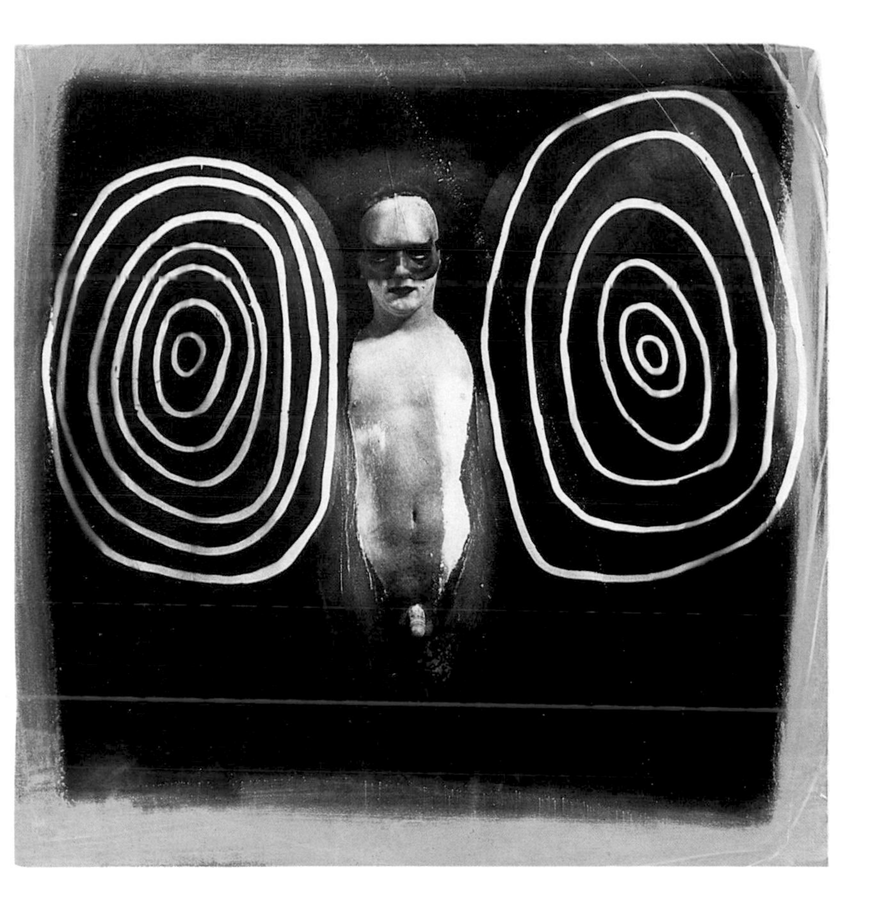

12. Femme allaitant une anguille, Nouveau-Mexique, 1979

13. L'ange des carottes, Nouveau-Mexique, 1981

14. La femme de Caïn, Nouveau-Mexique, 1981

15. Photo d'identité du purgatoire : deux femmes avec des irritations d'estomac, Nouveau-Mexique, 1982

16. La femme de Sanders, New York, 1981

17. L'invention du lait, Nouveau-Mexique, 1982

18. Leçon de calcul au purgatoire, Nouveau-Mexique, 1982

19. La collectrice de fluides, Nouveau-Mexique, 1982

20. Le baiser, Nouveau-Mexique, 1982

21. Manuel Osorio, Nouveau-Mexique, 1982

22. Arm Fuck, New York, 1982

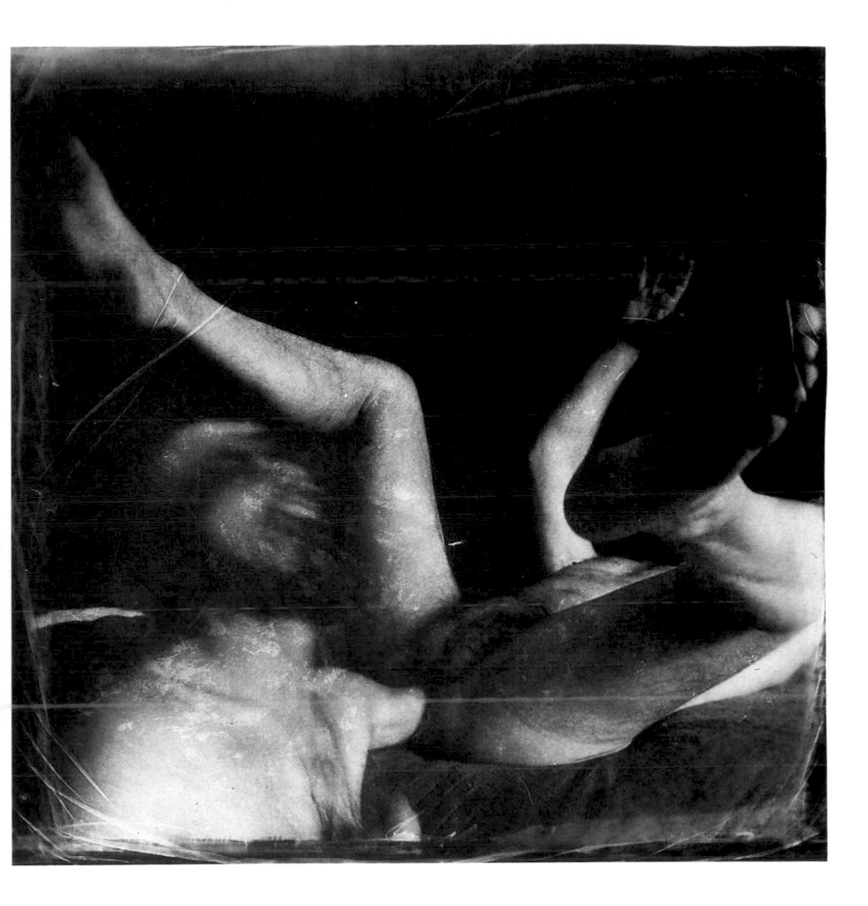

23. L'oiseau de Quevada, Nouveau-Mexique, 1982

24. Femme se masturbant sur la lune, Nouveau-Mexique, 1982

25. Portrait de l'Holocauste, Nouveau-Mexique, 1982

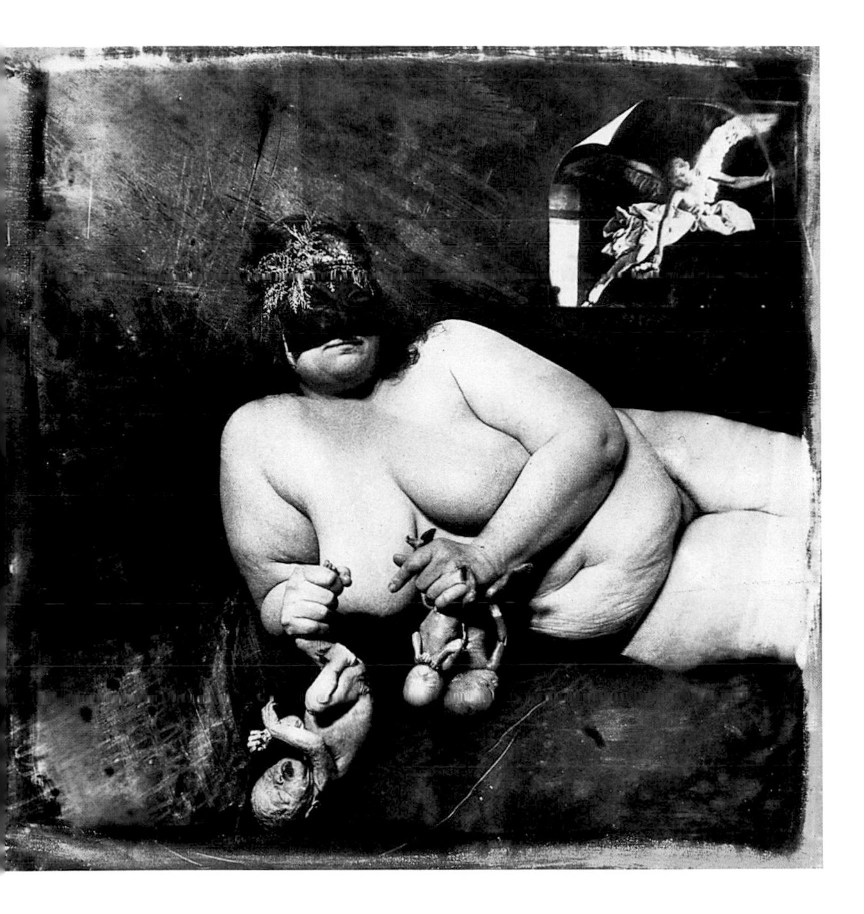

26. Cadavre au masque, Nouveau-Mexique, 1982

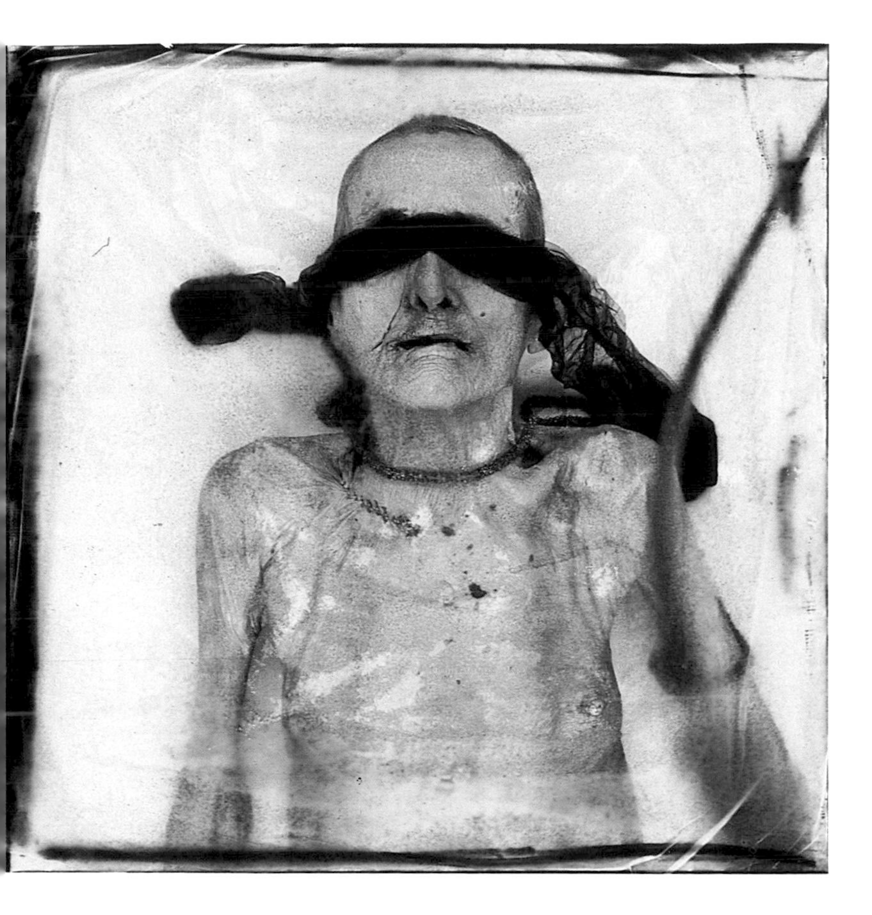

27. La capitulation de la France, Nouveau-Mexique, 1982

28. Femme avec tête coupée, Nouveau-Mexique, 1982

29. Pygmalion, Nouveau-Mexique, 1982

30. La Vénus de Canova, New York, 1982

31. Torture du pape en exil, Nouveau-Mexique, 1982

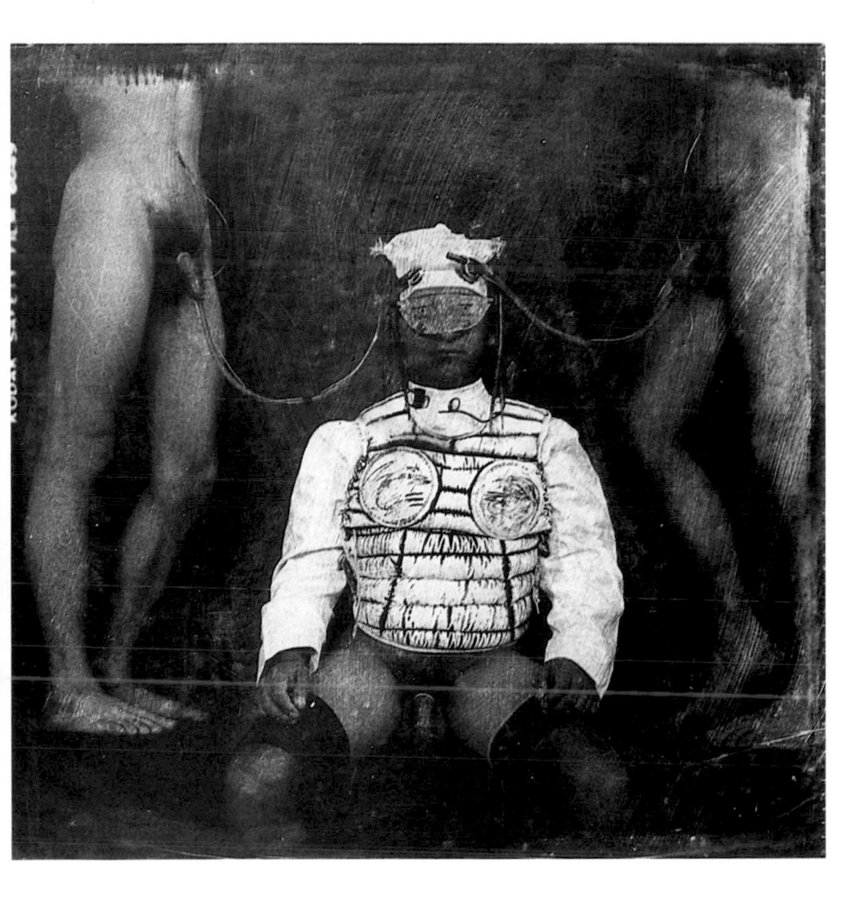

32. Eunuque, Nouveau-Mexique, 1983

33. La brassière de Joan Miró, Nouveau-Mexique, 1982

34. Sanatorium, Nouveau-Mexique, 1983

35. Phrénologue, San Francisco, 1983

36. Moisson, Philadelphie, 1984

37. Lisa Lyon en Kouros Anavyssos, New York, 1983.

KODAK SAFETY FILM 6041

38. Homme sans jambes, New York, 1984

39. Le jeune homme aux quatre bras, San Francisco, 1984

40. Portrait de Nan, Nouveau-Mexique, 1984

41. Les conséquences de la guerre : le chien corne d'abondance, Nouveau-Mexique, 1984

42. Von Gloeden en Asie, New York, 1984

43. Mort auto-érotique, New York, 1984

44. Voyages du masque : l'histoire de la photographie à Juarez,
New York, 1984

45. Courbet dans le bain de Rejlander, Nouveau-Mexique, 1985

46. Femme au chapeau bleu, New York, 1985

47. Leda, Los Angeles, 1986

48. Hermaphrodite au Christ, San Francisco, 1985

49. Infantilisme, San Francisco, 1985

50. Femme sur une table, Nouveau-Mexique, 1987

51. Les Ménines, Nouveau-Mexique, 1987

52. Un saint obscur, Los Angeles, 1987

53. Portrait d'une naine, Los Angeles, 1987

54. Nue au masque, Los Angeles, 1988

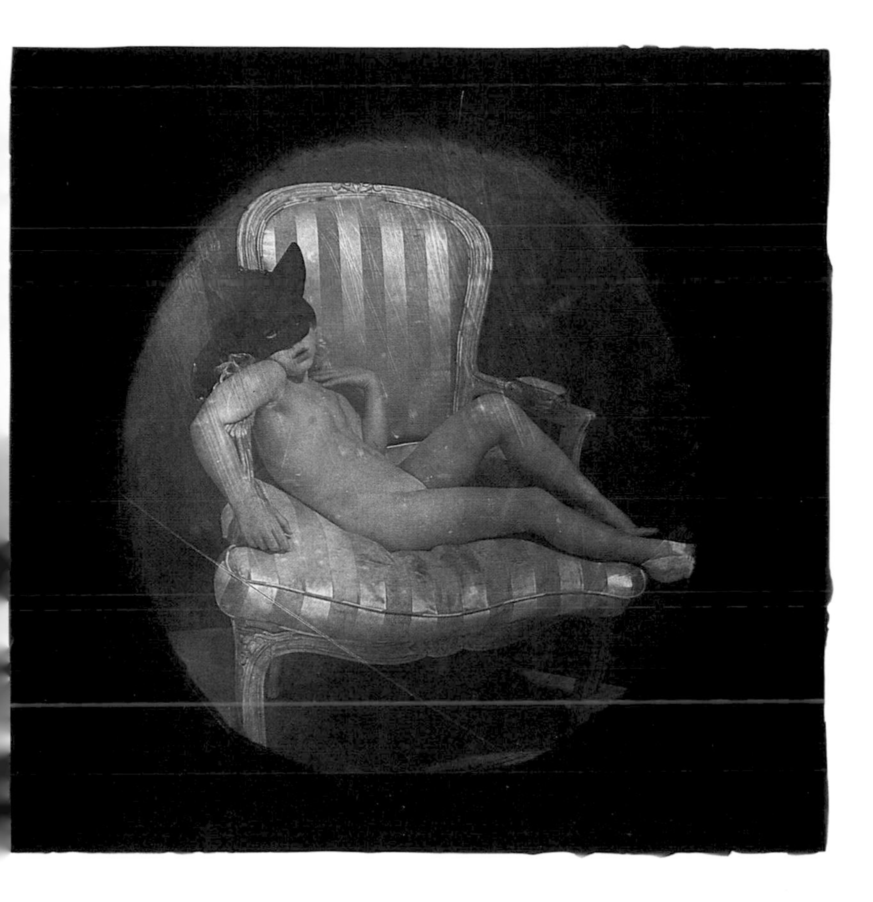

55. Sœurs siamoises, Los Angeles, 1988

56. Femme aveugle et son fils aveugle, Nouveau-Mexique, 1989

57. La bête, Nouveau-Mexique, 1989.

58. Agonisants de l'attente éternelle, Portugal
et Nouveau-Mexique, 1990

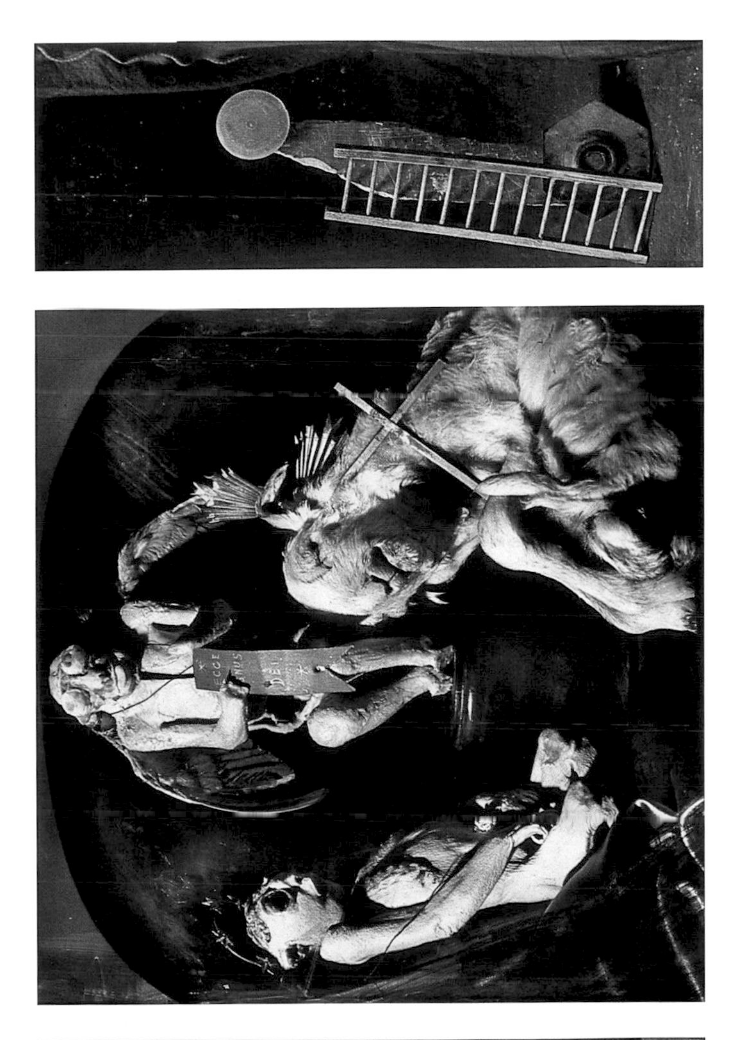

59. Homme au chien, Mexico, 1990

60. Apollon et Daphné, Los Angeles, 1990

61. Femme qui fut un oiseau, Los Angeles, 1990

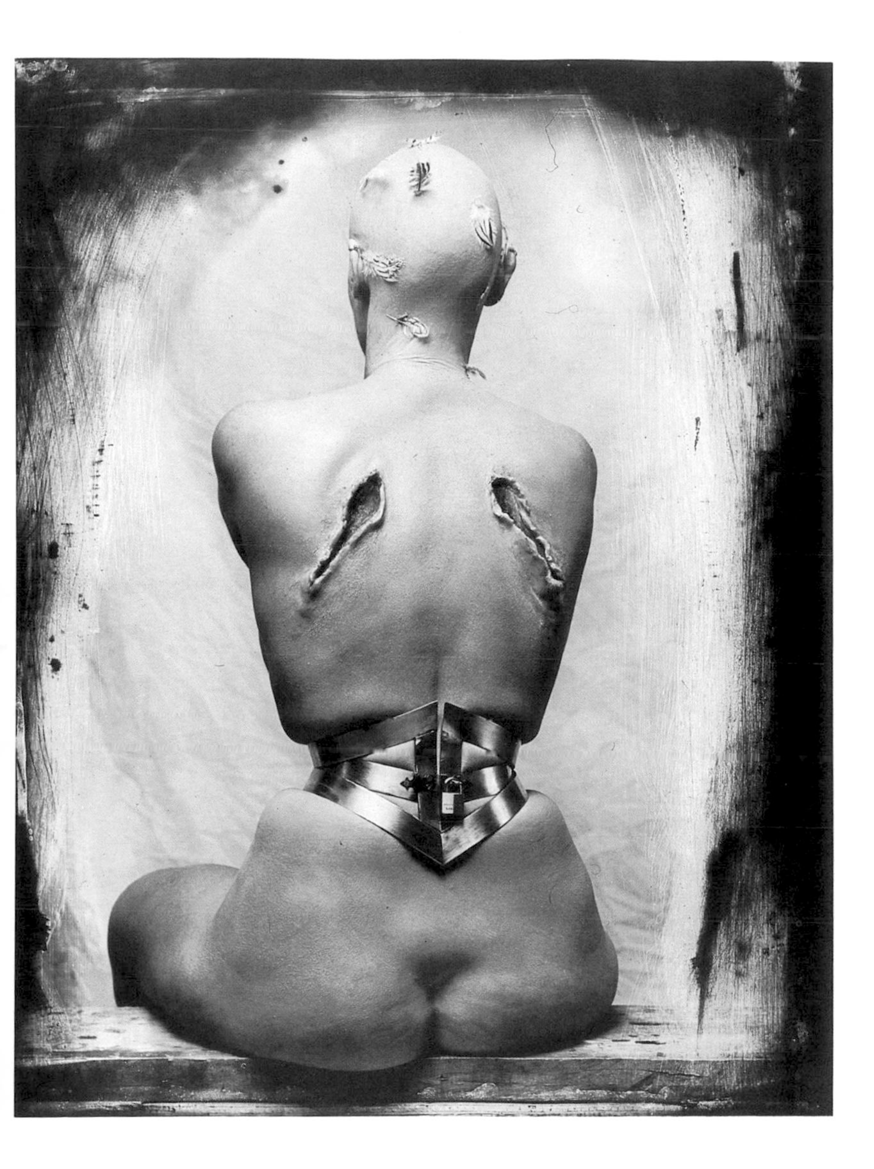

62. Le festin des fous, Mexico, 1990

63. Femme avec appendice

BIOGRAPHIE

1939. Le 13 septembre, naissance de triplés, dont Joel-Peter Witkin à Brooklyn (New York) de Max Witkin et Mary Pellegrino. Le père est juif. La mère élève ses enfants dans la confession catholique romaine. Le frère survivant sera peintre.

1955. Witkin commence à photographier et fournit des sujets photographiques à son frère.

1958-67. Il travaille comme technicien et assistant d'autres photographes
Employé comme photographe lors de son passage dans l'armée américaine, il est quelquefois appelé à photographier la mort.

1967. Employé comme photographe à New York, il étudie la sculpture à la Cooper Union School of Fine Art à New York.

1969. Première exposition individuelle au Moore College of Art, Philadelphie.

1974. Il reçoit la licence ès Beaux-Arts de la Cooper Union et obtient une bourse de la Columbia University, New York, pour étudier la poésie. Il voyage pendant quatre mois en Inde.

1975. Il déménage à Albuquerque, Nouveau-Mexique.

1976. Il reçoit le diplôme de Maîtrise en Photographie de l'Université du Nouveau Mexique.

1978. Le 30 juin, il épouse Cynthia Jean Bency. Naissance de leur fils, Kersen.

1986. Il reçoit un deuxième diplôme de Maîtrise de l'Université du Nouveau-Mexique.

Il vit actuellement à Albuquerque, Nouveau-Mexique.

EXPOSITIONS

Expositions personnelles

1980. Projects Studio One Museum, New York.

1982. Galerie Texbraun, Paris.

1983. Art Institute, Kansas City. Stedelijk Museum, Amsterdam.

1983-1984-1987-1991-1993. Fraenkel Gallery, San Francisco.

1983-1984-1987-1989-1991-1993. Pace/MacGill Gallery, New York.

1985. Museum of Modern Art, San Francisco.

1986. The Brooklyn Museum, New York.

1988. Centro de Arte Reina Sofia, Madrid.

1989. Centre National de la Photographie, Palais de Tokyo, Paris.

1989-1991-1993. Fahey/Klein Gallery, Los Angeles.

1991. Museum of Modern Art, Haïfa, Israël.

DANS LA MÊME COLLECTION

1. Nadar. Texte d'André Jammes / **2.** Henri Cartier-Bresson. Texte de Jean Clair / **3.** Jacques-Henri Lartigue. Texte de Jacques Damade / **4.** Amérique. Les Années Noires. F.S.A. 1935-1942. Texte de Charles Hagen / **5.** Robert Doisneau. Entretien avec Sylvain Roumette / **6.** Camera Work. Texte de Françoise Helbrun / **7.** W. Eugene Smith. Texte de William S. Johnson / **8.** J. Nicéphore Niepce. Choix de lettres et de documents / **9.** L'Amérique au fil des jours. Texte de Michel Deguy / **10.** Robert Frank. Texte de Robert Frank / **11.** Le Grand Œuvre. Texte de Jean Desjours / **12.** Duane Michals. Texte de Renaud Camus / **13.** Étienne-Jules Marey. Texte de Michel Frizot / **14.** Bruce Davidson. Texte de Bruce Davidson / **15.** Josef Koudelka. Texte de Bernard Cuau / **16.** Eugène Atget. Texte de Françoise Reynaud / **17.** André Kertész. Texte de Danièle Sallenave / **18.** L'Opéra de Paris. Texte de Bruno Foucart / **19.** Mario Giacomelli. Texte d'Alistair Crawford / **20.** William Klein. Texte de Christian Caujolle / **21.** Weegee. Texte d'André Laude / **22.** Autochromes. Texte de Sylvain Roumette / **23.** Alexandre Rodtchenko. Texte de Serge Lemoine / **24.** Le Nu. Texte de Bernard Noël / **25.** Werner Bischof. Texte de Claude Roy / **26.** Helmut Newton. Texte de Karl Lagerfeld / **27.** Du bon usage de la photographie. Une anthologie de textes / **28.** Brassaï. Texte de Roger Grenier / **29.** Lee Friedlander. Texte de Loïc Malle / **30.** Le Temps des pionniers. Texte de Jean-Claude Gautrand / **31.** Photomontages. Texte de Michel Frizot / **32.** Édouard Boubat. Texte de Bernard George / **33.** Man Ray. Texte de Merry A. Foresta / **34.** La photographie britannique. Texte de Mark Haworth-Booth / **35.** Elliot Erwitt. Texte d'Elliot Erwitt / **36.** Robert Capa. Texte de Jean Lacouture / **37.** Marc Riboud. Texte de Marc Riboud / **38.** De la photographie comme un des beaux-arts. Texte d'Alain Sayag / **39.** Étranges Étrangers. Texte de Charles-Henri Favrod / **40.** Histoire de voir. De l'invention à l'art Photographique (1839-1880). Texte de Michel Frizot / **41.** Histoire de voir. Le médium des temps modernes (1880-1939). Texte de Michel Frizot / **42.** Histoire de voir. De l'instant à l'imaginaire (1930-1970). Texte de Michel Frizot / **43.** Edward S. Curtis. Texte de Serge Bramly / **44.** Josef Sudek. Texte de Anna Favora / **45.** Walker Evans. Texte de Gilles Mora / **46.** Willy Ronis. Texte de Bertrand Eveno / **47.** Images d'un autre monde. La photographie scientifique. Texte de Monique Sicard / **48.** Norbert Ghisoland. Texte d'André Balthazar / **49.** Joel-Peter Witkin. Texte de Eugenia Parry Janis / **50.** Lewis Hine. Texte de Naomi Rosenblum / **51.** Louis Faurer. Texte de Martin Harrison **52.** Agustin V. Casasola. Texte de Alfredo Cruz-Ramirez / **53.** Don McCullin. Texte de Don McCullin / **54.** Dieter Appelt. Texte de Michel Frizot / **55.** Sebastião Salgado. Texte de Christian Caujolle / **56.** Edward Steichen. Texte de William A. Ewing.

Cet ouvrage, le quarante-neuvième de la collection Photo Poche
dirigée par Robert Delpire,
a été réalisé avec la collaboration de Françoise Sadoux
Annie Girard, Maurice Lecomte et Sitthisack Viraphong.

Deuxième édition

Achevé d'imprimer le 10 janvier 1994
sur les presses de l'Imprimerie Amilcare Pizzi Arti Grafiche S.p.A.
Cinisello B. (Milano - Italia).